KB075617

맨체스터 시티 2022/24

시즌 하이라이트 일러스트북

글/그림: 장원석

stepstone900@naver.com

https://blog.naver.com/piccalcio

https://www.instagram.com/piccalcio

블로그

인스타

목차 (타임라인)

2023년 5월 ----------87~96p

6월 --------- 97~107p

2023/24 **8~9월** --------- **110~117p**

12월 --------- 119~125p

2024년 1월 --------- **126~130p**

2월 --------- 131~138p

3월 --------- **139~147p**

4월 --------- 148~155p

5월 --------- **156~165p**

22/23 맨시티 어웨이 킷 탄생 배경

1968년 경 축구로 유럽, 세계를 정복하던 밀란을 보고 감명 받고 자라온 맨시티 어린이가 지금 와서 밀란스럽게 만들었다고 한다. 단순한 이유.... 역사에 남을 드라마틱한 우승을 거둔 2011/12 시즌에도 이미 이런 검빨 킷을 어웨이로 둔 적이 있다.
올 시즌 홀란드를 장착한 시티가 과연 잉글랜드를 넘어 유럽 무대를 정복할 수 있을 것인지...?!

22/7/30

킹 파워 스타디움, 레스터

2022 커뮤니티 쉴드

리버풀 - 맨시티

22/7/30
킹 파워 스타디움, 레스터
2022 커뮤니티 쉴드
리버풀 3-1 맨시티

새 시즌 프리미어리그에 앞서 전초전을 알리는 맞대결. 이번에는 양팀의 특급 신입 생 누네즈 vs 홀란드의 맞대결로 관심을 많이 모았었는데 누가 봐도 전자의 완승으로 끝났다,

22/8/5

22/23 프리미어리그 개막!

22/8/7
올림픽 스타디움, 런던
22/23 프리미어리그 1R
웨스트햄 0-2 맨시티

"홀란드의 진짜 시즌 시작은 지금부터다!" 일주일 전 리버풀과의 커뮤니티 쉴드에서 누네즈와의 맞대결에 서는 다소 자존심을 구겼지만 프리미어리그 데뷔전에 서부터 멀티골을 뽑아내며 자신의 존재감을 영국, 그 리고 전세계 프리미어리그 팬들에게 알렸다.

22/8/13
에티하드 스타디움, 맨체스터
22/23 프리미어리그 2R
맨시티 4-0 본머스

시티의 리그 첫 홈경기 귄도안, 데 브라이너, 포든의 득점으로 역시나 가뿐하게 대승을 거두며 무실점 2연승. 본머스가 전통적으로 검빨 유니폼을 입는데 마침 맨시티의 올 시즌 어웨이 킷이 검빨 색상이라 마치 B군 팀과 붙는 듯한 수준의 경기 양상이었다.

22/8/21

세인트 제임스 파크, 뉴캐슬

22/23 프리미어리그 3R

뉴캐슬 3-3 맨시티

뉴캐슬의 이번 시즌 전망은 굉장히 높게 평가 받았었는데 맨시티를 상대로 첫 승점 드랍을 안기며 시티 입장에서는 지지 않은게 다행일 정도.

22/8/27
에티하드 스타디움, 맨체스터
22/23 프리미어리그 4R
맨시티 4-2 크리스탈 팰리스

[오피셜] 4라운드만에 본다 '홀트트릭!'
동시간대 타구장에서는 리버풀이 9골을 폭발 시키더
니 이쪽은 홀란드가 폭발했다. 맨시티는 전반부터 0-2
로 끌려가면서 또 다시 팰리스의 악몽이 재현되나 싶
었는데 후반에 각성한 맨시티와 홀란드는 역시 무서
웠다. 애초 영입될 때부터 의심의 여지조차 없던 그는
PL 데뷔전부터 멀티골을 뽑아냄을 시작으로 단 4경기
만에 해트트릭을 달성했다.

22/8/31
에티하드 스타디움, 맨체스터
22/23 프리미어리그 5R
맨시티 6-0 노팅엄 포레스트

전반 38분만에 홀란드 해트트릭? 두 경기 연속 해트트릭?! 주중 경기인만큼 체력 안배도 필요했던 라운드라 펩 감독은 68분 경 쿨하게 교체 아웃 시키며 쉬게 했다. 선수 개인으로써의 쇼만 해도 이미 어마무시했는데 팀으로써의 쇼는 거기서 끝이 아니었다. 홀란드에 묻힌 올 시즌 또 다른 신입 공격수 훌리안 알바레즈도 멀티골을 넣으 면서 홀란드 뿐 아니라 자신도 있음을 알렸다.

22/9/3
빌라 파크, 버밍엄
22/23 프리미어리그 6R
아스톤 빌라 1-1 맨시티

"내가 결과 만들어줬는데 니들은 뭐했니 콥들?"
홀란드의 득점은 이어지긴 했으나 준비를 잘해온 제라
드의 빌라를 상대로 고전하면서 승점을 드랍했다. 하
지만 정작 경쟁 상대인 리버풀이 머지 사이드 더비에
서 똑같이 무승부를 거뒀다 시티에게는 다행스럽게도.

22/9/6
라몬 산체스 피츠후안, 세비야
22/23 UCL 조별리그 1차전 G조
세비야 0-4 맨시티

홀란드에게 적응 따윈 필요 없다. 맨시티 유니폼을 입고 치르는 첫 챔스 경기에서 데뷔골을 포함하여 멀티골을 넣으며 팀의 대승을 이끌어냈다.

22/9/8

엘리자베스 여왕 서거

영국의 모든 스포츠 경기, 즉 프리미어리그도 한 주
쉬어갑니다.

22/9/14
에티하드 스타디움, 맨체스터
22/23 UCL 조별리그 2차전 G조
맨시티 2-1 도르트문트

어제 레반도프스키 더비에서는 그가 주인공이 되지 못했는데 오늘 홀란드 더비에서는 그가 주인공이 되었다. 역전골을 터뜨렸는데 다행히(?) 세레머니는 하지 않았다.

22/9/17
몰리뉴 스타디움, 울버햄튼
22/23 프리미어리그 8R
울버햄튼 0-3 맨시티

"하늘은 파랗고 홀란드는 골을 넣었다" 지난 주 엘리자베스 여왕 서거로 인하여 연기되어 한 라운드 거르고 돌아온 프리미어리그 하지만 경기를 언제 하던 상관없이 홀란드는 챔스에서도 그렇고 너무나 당연하다는 듯이 득점을 한다. 울브스쪽 전반전 퇴장으로 인하여 무난하게 승리를 챙겨갔다.

22/9/22
22/23 네이션스리그 A-4조 5차전
벨기에 2-1 웨일즈
폴란드 0-2 네덜란드

웨일즈가 지난 6월 우크라이나와의 플레이오프에서 승리하면서 이 조는 유일하게 모두 이번 월드컵에 출전하는 그룹이 되었다. 그래서 그들에겐 네이션스 리그에서 결과가 어찌 나온다한들...? A매치에서도 활약을 이어가는 덕배 장군.

22/9/26
웸블리 스타디움, 런던
22/23 네이션스리그 A-3조 6차전
잉글랜드 3-3 독일

'빅 루저들의 게임' 이 조 루저들의 스몰매치인데 또
액면가로는 빅매치라 사실 할까말까 고민했다... 양 팀
합쳐 총 5명 득점에 전원 PL 소속 그리고 경기 장소는
웸블리라 마치 PL 보는 듯한 착각이 들 정도. 그들만의
경기치고는 매우 흥미진진한 한 판. 잉글랜드는 다음
시즌부터 하위 디비전인 그룹 B에서 놀게 되는데 그
걸 그려줘야 할지 말지 고민이다...

22/10/2

에티하드 스타디움, 맨체스터

22/23 프리미어리그 9R

맨시티 6-3 맨유

'맨체스터 더비에서 홀란드 홈 3경기 연속 해트트릭... 인간 맞나?" 대체 어디까지 얼마나 더 놀라워 해야 할지 모르겠다. 직관 오신 알렉스 퍼거슨 경과 벤치에서 지켜보는 호날두 앞에서 홀란드의 해트트릭이라... 사실 홀란드의 이 미친 스토리가 계속 이어지고 있어서 그렇지 포든도 동반 해트트릭을 했다.

22/10/5
에티하드 스타디움, 맨체스터
22/23 UCL 조별리그 3차전 G조
맨시티 5-0 코펜하겐

홀란드의 멀티골을 앞세워 마레즈, 알바레즈의 득점으로 조 최약체 코펜하겐을 무난히 후들겨팼다.

22/10/8
에티하드 스타디움, 맨체스터
22/23 프리미어리그 10R
맨시티 4-0 사우스햄튼

홈 4경기 연속 해트트릭을 노렸던 홀란드는 오늘 경기에서 90분 풀타임으로 뛰어놓고 고작 1골 넣는데 그치며 실패했다. 슬슬 거품끼 드러나나...?! 대신 그 한 골로 10경기 연속 득점과 시즌 20호골을 동시에 달성하였다.

22/10/11
파르켄, 코펜하겐
22/23 UCL 조별리그 4차전 G조
코펜하겐 0-0 맨시티

홈에서 5-0으로 대파했던 코펜하겐이지만 아무리 맨
시티여도 이 원정은 쉽지 않았다. 홀란드에게 휴식을
부여했다는 부분도 크긴 했으나 맨시티는 이 결과로
2경기 남겨놓고 가장 빠른 시간 안에 16강을 확정 지
은 팀이 됐다면 나름대로의 수확.

22/10/16
안필드, 리버풀
22/23 프리미어리그 11R
리버풀 1-0 맨시티

커뮤니티 쉴드에서 시즌의 전초전 느낌으로 만났던
두 팀이 안필드에서 만났다. 최근 폼만 보면 대다수가
맨시티의 승리를 예상했으나 '디스 이즈 안필드' 위력
이 빛을 발하며 이번에도 승자는 리버풀이었다. 막상
뚜껑을 열어보니 맨시티와 선두 경쟁을 펼치는 팀은
아스날이었는데 의형제들의 이 승리 덕에 4점차로 벌
렸다.

22/10/22

에티하드 스타디움, 맨체스터

22/23 프리미어리그 13R

맨시티 3-1 브라이튼

좋은 전력을 보여주고 있는 브라이튼이지만 건재한 홀란드가 버티고 있는 맨시티 원정까지 당해내기는 어려웠다. 하지만 안필드 원정 해트트릭에 이어 이 와중에도 득점을 한 레안드로 트로사르 (27세/벨기에)는 다가오는 겨울이적 시장 빅클럽들의 구애를 받을 것으로 예상된다. 펩시티가 이미 눈독 들이고 있는지도...?

22/10/25

22/23 UCL 조별리그 5차전 G조

세비야 3-0 코펜하겐

도르트문트 0-0 맨시티

이 조는 이미 4차전부터 싱겁게 갈렸었다. 오늘 이 5차전이 각각 그들만의 나름대로의 플레이오프였는데 세비야는 역시 유로파 본능을 발휘하며 코펜하겐을 완파. 리턴 매치로 치뤄진 홀란드 더비에서 도르트문트는 그를 꽁꽁 묶으며 두 번 당하진 않았다. 하지만 조 1위는 더 유리한 위치에 있던 맨시티의 몫. 그나저나 마레즈는 연속 PK 실축을 시전하고 있는데 그래도 결정적인 경기들이 아니었기에 망정이지 펩 감독은 다시 생각해봐야 할 듯?

22/10/29
킹 파워 스타디움, 레스터
22/23 프리미어리그 14R
레스터 0-1 맨시티

"홀란드없이 경기를 이겨라! 미션 컴플리트" 대권을 노리는 맨시티는 홀란드를 시즌 내내 쓸 순 없으니 이가 없으면 잇몸으로 굴려야 한다. 그런데 그 잇몸이 데 브라이너라는 빅 잇몸이니까 별 문제 없이 이길 수 있다 아직까지는.

22/11/2
22/23 UCL 조별리그 6차전 G조
맨시티 3-1 세비야
코펜하겐 1-1 도르트문트

1~4위 각 모든 자리가 다 정해진 가장 싱거워진 조

맨시티는 이미 두 경기를 앞두고 16강을 확정 지었기에 부담이 없어진 상황에서 홀란드를 거의 쓰지 않고도 조 1위를 달성하는 미션에 성공했다. 세비야도 역시 이 경기 패배는 전혀 타격이 되지 않을 것이다 그들의 진정한 무대이자 대회는 유로파리그니까.

22/11/5
에티하드 스타디움, 맨체스터
22/23 프리미어리그 15R
맨시티 2-1 풀럼

프리미어리그 적응을 한참 넘어 '골무원'이 된 홀란드
가 PK 하나 넣고 옷 벗게 만든 그만큼 어렵고 절박했
던 오늘의 맨시티였다. 칸셀루의 퇴장+PK 헌납이 경
기를 이렇게 자체 난이도를...

22/11/12
에티하드 스타디움, 맨체스터
22/23 프리미어리그 16R
맨시티 1-2 브렌트포드

현 1위는 아니긴 해도 요즘 시대 프리미어리그 최강자 맨시티를 원정 가서 멀티골을 꽂은 브렌트포드의 아이반 토니(26/잉글랜드)는 끝내 사우스게이트 감독의 콜을 받지 못했다. 카타르에 출격할 삼사자 군단의 명단이 발표된 가운데 "OO는 왜 안 뽑냐"라고 지적한 대상 중 한 명인데 사실 그런건 어느 국대든 어느 감독이 맡아도 나오는 소리이기 마련이다. 어쨌든 맨시티는 선두를 추격하는 와중에 브레이크를 밟고 찜찜하게 월드컵 브레이크를 보내게 되었다.

2022 카타르 월드컵 개막!

22/11/21
칼리파 인터내셔널 스타디움, 도하
2022 카타르 월드컵 B조 1차전
잉글랜드 6-2 이란

-직관하러 온 베컴의 라떼 시절에도 못 본 잉글랜드의 몸값에 걸맞는 경기력과 결과

-개막 전부터 국가 내부 사정으로 뒤숭숭했던 이란... 그들 에게 자유를

잉글랜드는 이란을 상대로 자신들의 퍼포먼스를, 이란은 이슬람 공화국 을 상대로 퍼포먼스를 보여주었다. 그릴리쉬가 팀의 마지막 6번째 골을 장식했다.

22/11/23
칼리파 인터내셔널 스타디움, 도하
2022 카타르 월드컵 E조 1차전
독일 1-2 일본

아르헨-사우디 경기에 이어 어찌 이리 복붙일수가...?!
아르헨도 메시의 PK 선제골 후 역전패, 그리고 독일도
귄도안의 PK 선제골이 있었지만 역전패를 당했다.

-매번 활약하고 있는 Mr.월드컵 우승국 저주의 이번
행선지는 프랑스인데 정작 그들은 1차전을 잘해냈고
여전히 독일에 머물러있나?

-독일 아시아 국가에게 연속 패배한 월드컵 본선 역사
상 최초의 팀

22/11/29

2022 카타르 월드컵 B조 3차전

이란 0-1 미국

웨일즈 0-3 잉글랜드

잉글랜드는 미국전 빼고는 각자 몸값에 걸맞는 풋볼
을 보여주며 그래도 예상대로 당당히 조 1위를 차지
하였다.

22/11/30
2022 카타르 월드컵 C조 3차전
폴란드 0-2 아르헨티나
사우디 아라비아 1-2 멕시코

아르헨티나는 첫 경기 사우디에게 당한 충격패가 결국
약이 된 듯? 메시의 PK골은 무산됐지만 도저히 이기기
싫어도 이길 수 밖에 없는 일방적인 내용으로 승리.
알바레즈도 득점을 하였고 결국 아르헨은 위기를 극복
하며 조 1위로 16강에 안착하였다. 그리고 그 위기를
건네준 사우디는 정작 그 뒤로 다 패하며 꼴찌로 마감.

16강

네덜란드-미국
아르헨티나-호주
프랑스-폴란드
잉글랜드-세네갈
일본-크로아티아
브라질-대한민국
모로코-**스페인**
포르투갈-스위스

벨/독만 탈락!

22/12/3
칼리파 인터내셔널 스타디움, 도하
2022 카타르 월드컵 16강
네덜란드 3-1 미국

조별리그 끝나자마자 하루의 텀도 없이 바로 진행되는 16강전. 조별리그에서 무패 1위를 하고도 예전 반 페르시, 로벤, 스네이더 시절과 비교돼서 그런지 몰라도 경기력에 있어 서 썩 좋은 소리를 못 들었었다. 그래도 토너먼트에 들어서자마자 아메리칸 싸커를 집으로 돌려보내며 오렌지 군단의 기본 명성은 보여주고 있다. 가장 먼저 8강에 안착.

22/12/3
아흐메드 빈 알리 스타디움, 알 라얀
2022 카타르 월드컵 16강
아르헨티나 2-1 호주

메시 본인의 커리어 통산 1000번째 월드컵 통산 9호
골로 마라도나를 넘어섰고 그와 동시에 토너먼트에서
첫 득점을 필드골로 멋지게 뽑아낸 기념비적인 경기가
되었다. 나름 잘 버티고 잘 싸우고 있던 호주는 주장
매튜 라이언 골키퍼(내가 유일하게 가지고 있던 호주
의 이번 월드컵 스쿼드 내 선수)의 실책으로 아르헨티
나의 신성 훌리안 알바레즈에게 추가골을 그냥 내주며
무너지는듯...? 했지만 그래도 만회골을 뽑아내며 끝까
지 메시 보유국에게 덤벼볼만한 '졌잘싸' 스코어로 이
변까진 없이 마무리.

22/12/4
알 바이트 스타디움, 알 코르
2022 카타르 월드컵 16강
잉글랜드 3-0 세네갈

사자들의 대결이었는데 三사자 군단의 손쉬운 승리로 마무리되었다. 지난 2018 월드컵에서 '역대급으로 임팩트가 없는 득점왕' 이라는 수식어를 달게 된 케인이 이번 대회 첫 골을 뽑아냈다. 시티 선수 득점은 없었고 토트넘, 리버풀, 아스날 선수들이 득점.

22/12/6
에듀케이션 시티 스타디움, 알 라얀
2022 카타르 월드컵 16강
모로코 0-0 (pk 3-0) 스페인

엔리케 감독이 페널티킥 연습 각자 1000번씩 해오라고 숙제 던져줬는데 해온 사람...? 본인들이 설마 모로코와 승부차기까지 갈 줄 몰랐던 것일까... 스페인 세비야에서 활약 중인 모로코 골키퍼 야신 부누(닉네임이자 마킹이 보노)의 엄청난 활약도 있었지만 스페인은 이로써 2002 대한민국, 2018 러시아에 이어서 승부차기를 갈 때마다 악몽을 지우지 못하고 있고 엔리케 감독은 사임했다. 16강에서 유일하게 이변이라면 이변. 로드리와 라포르트는 여기서 마감.

22/12/6
루사일 아이코닉 스타디움, 루사일
2022 카타르 월드컵 16강
포르투갈 6-1 스위스

16강 마지막 경기였고 이번에도 이변 없이 흘러갔는데 포르투갈에게는 또 한 번 감사하다 대한민국이 16강전에서 가장 큰 스코어로 진 팀이 아니라서…! 호날두 대신 선발 출전한 벤피카 소속의 01년생 곤살루 하무스가 이번 대회 최초 해트트릭 주인공이 되었는데 카메라 세례는 대부분의 시간을 벤치에서 보낸 호날두가 더 많이 받은 느낌이 있다. 국가 연주 할 때 필드 위가 아니라 벤치에 있는 선수에게 그렇게 많은 카메라맨들이 몰리는 광경은 또 처음 봤다. 어쨌든 시티 선수 선수 3명을 데리고 있는 포르투갈이 대승을 거두며 아칸지 탈락.

8강

네덜란드-아르헨티나
크로아티아-브라질
프랑스-**잉글랜드**
모로코-**포르투갈**

22/12/9
루사일 아이코닉 스타디움, 루사일
2022 카타르 월드컵 8강
네덜란드 2-2 (pk 3-4) 아르헨티나

상대 선수의 심기를 건드리는 감독의 인터뷰, 그런 상
대 감독을 향한 도발 세레머니, 상대 벤치를 향해 고
의적으로 날린 슈팅, 승부차기에서 키커로 나서는 선
수를 향한 과도한 신경전 등등 +권위주의의 끝판왕
라호즈 주심까지 아주 가슴이 뜨거워지는 경기였다.
그 결과로 양 팀 합쳐 18장의 옐로 카드가 나왔다.
아케는 여기까지, 알바레즈는 4강행.

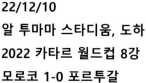

22/12/10
알 투마마 스타디움, 도하
2022 카타르 월드컵 8강
모로코 1-0 포르투갈

이번 대회 돌풍의 팀 모로코는 월드컵 4강 신화를 결국 썼다. 아프리카 대륙, 아랍 종교 어느 모로 묶어봐도 그들의 자랑거리가 되기에 충분하다. 조별리그부터 토너먼트까지 5경기 1실점이라는 그들의 이 엽기적인 수비력으로 호날두까지 집으로 돌려보냈다. 토너먼트부터는 벤치 스타트하더니 결국 조국의 탈락을 막지 못함과 동시에 월드컵 트로피 한 번 들어올리지 못한 채 그의 5번째 대회까지 이렇게 눈물을 훔친 채 막을 내리고 말았다. 베르나르두 실바, 후벤 디아스, 칸셀루 등 3명도 아웃.

22/12/10
알 바이트 스타디움, 알 코르
2022 카타르 월드컵 8강
잉글랜드 1-2 프랑스

"It's coming home" 잉글랜드 팬들이 항상 내걸고 있는 슬로건인데 최근 2개의 메이저 대회들에 비하면 이번에는 조금 일찍 집으로 돌아갔다. 하필 평소에 페널티킥 실축이라고는 좀처럼 보기 힘들었던 케인의 런던까지 갈 만한 '케쏘공'이 연출되며 탈락한 것은 많이 뼈아팠다. 한 편 소속팀 동료 요리스 골키퍼는 이 날 자국 대표팀 역사상 A매치 단독 최다 출전 기록을 세우는 의미 있는 날이었다. 프랑스는 월드컵에서 연속 4강행 그리고 연속 우승을 꿈꿔본다.

워커, 그릴리쉬, 포든, 스톤스 그리고 아직 그린 적 없는 필립스 등 5명도 모두 집으로.

4강

아르헨티나-크로아티아
프랑스-모로코

8강까지만 해도 10명에 육박하던
그 많던 시티 선수들은 다 집에 가고
단 한 명 알바레즈만 남았다!

22/12/13
루사일 아이코닉 스타디움, 루사일
2022 카타르 월드컵 4강
아르헨티나 3-0 크로아티아

과거에 아구에로, 이과인, 테베즈 등등 개인 명성이 뛰어났던 아르헨 공격수들이 많았지만 다들 메시의 파트너로써는 낙제점이었고 이제서야 드디어 제대로 된 파트너를 찾은 듯.신성이자 맨시티 후보인 훌리안 알바레즈...! 지금까지 7개의 발롱도르를 받았던 메시인데다 필요없고 월드컵 트로피 하나랑 바꾸고 싶을 것.

22/12/18
루사일 아이코닉 스타디움, 루사일
2022 카타르 월드컵 결승전
아르헨티나 - 프랑스

통산 세번째 우승을 노리는 양 팀. 같은 두번의 우승
기록이 있지만 아르헨티나는 1978, 1986년 그리고 프
랑스는 1998년, 2018년으로 비교적 최근이다. 메시의
화룡점정 대관식이냐 연속 우승으로 음바페의 황제
등극이냐로 타이틀이 걸렸다. 그리고 알바레즈의 메
시의 파트너로써도 활약이 워낙 좋았기에 시티 중심
모음 아니더라도 프리뷰 짤 모델로 쓰일 수 있었다.

아르헨티나 3-3 (pk 4-2) 프랑스

80분 전까지 메시의 아르헨티나가 무난히 이기는 줄 알았더니 이게 뭐지? 연장 가서 결국 이기나 싶었더니 이게 뭐지? 심지어 120분에 프랑스가 미친 역전승을 할 뻔도 했다. 어쩌다 1:1 찬스가 된 무아니의 슛이 에밀리아노 마르티네즈에게 막히지 않았더라면?! 승부차기 가서 결국 아르헨티나가 36년만의 통산 3번째 월드컵 트로피를 거머쥐게 됐는데 역사상 정말 이런 결승전이 있었을까 싶다. 적어도 내 생전인 90년대 월드컵부터 따지면 감히 '역대급' 결승전이라는 말을 써도 모자람이 없다. 그 덕에 알바레즈도 월드 챔피언에 올랐고 또 그의 활약 없이는 메시의 대관식도 없었을 것.

아르헨티나 2022 월드컵 우승

36년만의 통산 세번째 우승! 마라도나가 하늘로 떠난 후 맞이하는 첫 월드컵. 메시가 그토록 원하던 월드컵을 들어올리면서 자신의 라스트 댄스였던 이번 대회를 환하고 화려하게 마무리하며 커리어에 화룡점정을 찍었다. 새로운 월드 챔피언 아르헨에게 축하의 인사를...! 그리고 알바레즈 뿐 아니라 사실 시티팬들에게 더 사랑받는 인물... 아구에로가 시상식에 함께 하였다!

22/12/28
엘란드 로드, 리즈
22/23 프리미어리그 17R
리즈 1-3 맨시티

월드컵 기간동안 얼마나 근질근질했을까... 골 넣고 싶어서. 골 징계(?)에서 드디어 풀려난 홀란드가 보란 듯이 자신의 업무를 하였다. 지난 한달 반 동안은 잊혀진 선수가 될 법한 자신을 바로 리마인드 시키는 활약을 펼치며 선두 아스날 추격은 이어진다. 홀란드 아니었으면 발야구 선수급 활약을 한 그릴리쉬는 가루가 되도록 비난 비판을 받았을 듯 하다.

22/12/31
에티하드 스타디움, 맨체스터
22/23 프리미어리그 18R
맨시티 1-1 에버튼

이틀 전 별세한 축구황제 펠레의 명복을 빌며... R.I.P

약간 덜 푸른 심장도 가지고 있는 램파드가 감독 자리
가 썩 안정적이지 못한 와중에 맨시티에게 고춧가루를
뿌렸다. 1위도 아닌 맨시티는 월드컵 브레이크 직전 마
지막 경기에서 브렌트포드에게 발목 잡히며 갑분싸로
마무리했었는데, 한 해 마지막 경기도 그레이하게 마
무리.

안녕 2022

안녕? 2023

23/1/5
스탬포드 브릿지, 런던
22/23 프리미어리그 19R
첼시 0-1 맨시티

팀 퀄리티도 그렇고 감독으로써도 펩이 포터보다는 한 수 위라는 것을 보여주었다. 60분 마레즈와 그릴리쉬를 교체 투입하자마자 단 3분만에 결승골을 합작하며 선두를 추격하는 데에 있어서 고비처가 될 수 있는 스탬포드 브릿지 원정을 잘 넘겼다.

23/1/8
에티하드 스타디움, 맨체스터
22/23 FA컵 64강
맨시티 4-0 첼시

1996~1999 첼시 선수로 뛰었던 비알리의 별세 소식
... 함께 명복을 빕니다.

2023년의 시작을 첼시와 연달아 함께 하게 됐는데 첼
시 입장에서도 64강을 치르는데 이 와중에 왜 하필 시
티인가? 싶은 생각은 들지도. 안 그래도 부상자 많은
첼시를 완전히 제압하며 다음 라운드로 진출하였다.

23/1/14
올드 트래포드, 맨체스터
22/23 프리미어리그 20R
맨유 2-1 맨시티

지난 더비에서 홀란드의 해트트릭과 함께 6골을 꽂았던 맨유지만 이번 OT에서의 더비는 쉽지 않았다.
그 홀란드는 꽁꽁 묶이면서 역전패를 당했는데 다만 브루누의 동점골 과정에서 오프사이드 위치에 있던 래쉬포드의 존재가(?) 상대 수비수 아칸지에게 그다지 방해가 되지 않았다는 판정은 논란의 말이 좀 많다.

23/1/19
에티하드 스타디움, 맨체스터
22/23 프리미어리그 7R (순연경기)
맨시티 4-2 토트넘

순연된 빅매치였는데 전반 막판에 원정팀 토트넘에게
두 골을 몰아먹히며 패하나 싶었지만 역시나 결국 승
자는 시티였다. 전날에 생일을 맞이한 펩 과르디올라
감독이었는데 시티 선수들이 마치 후반에 가서 서프
라이즈를 하듯한 퍼포먼스.

23/1/22
에티하드 스타디움, 맨체스터
22/23 프리미어리그 21R
맨시티 3-0 울버햄튼

홀란드 시즌 4호 해트트릭! 모두 홈에서만 이뤄냈다. 리그에서만 시즌 25호골이 되었는데 지난 시즌 23골로 공동 득점왕을 했던 살라와 손흥민을 리그 종료까지 17경기 남은 시점에서 달성했다.(......) 오늘의 홀트트릭 희생양 울브스는 지난 전반기 경기에서 그에게 1실점한 것을 포함하여 총 4실점으로 현재까지 홀란드에게 가장 많이 먹힌 팀이다. 로페테기는 전반기 세비야 감독일 때 챔피언스리그 조별 리그에서 이미 멀티골을 실점했기에 총 5실점으로 가장 많이 먹힌 감독이 되었다. 시티 유니폼을 입은 올 시즌의 홀란드 기준.

23/1/27
에티하드 스타디움, 맨체스터
22/23 FA컵 32강
맨시티 1-0 아스날

맨시티는 지난 64강 첼시에 이어 이번엔 리그에서 아직도 붙지 않은 1위 아스날을 탈락시켰다. 그 수많은 클럽들 중에 왜 하필 처음부터 가는 길마다 빅6를 만나나 싶다가도 그래도 모두 홈경기에 걸려서 그런지 수월하게 물리칠 수 있었다. 현재까지 리그 우승의 꿈을 안고 착실하게 해오고 있는 아스날은 저쪽 반도의 리그 단독 1위 나폴리가 코파 이탈리아에서 일찌감치 광탈한것도 똑닮았다.

23/2/5
토트넘 핫스퍼 스타디움, 런던
22/23 프리미어리그 22R
토트넘 1-0 맨시티

18/19 챔스 8강 1차전 손흥민의 결승골 1-0 승리 이후 시즌 리그 경기부터 모두 1-0 혹은 2-0으로 토트넘의 승리. 벌써 5년째... 토트넘 원정만 오면 꾸준히 단 한 골도 넣지 못하고 꾸준히 패하고 있는 맨시티. 반대의 상황이라면 모를까 굉장히 불가사의한 현상이다. 콘테가 병가로 부재한 상황에서 승리의 결승골을 뽑아낸 케인은 토트넘 역대 최다 득점자로 등극하였다. 이것도 트로피 하나 구단에서 제작해서 부여해줘야... 반면 올 시즌 득점왕을 예약한 홀란드는 슈팅 0개의 굴욕을 맛봤다.

23/2/12
에티하드 스타디움, 맨체스터
22/23 프리미어리그 23R
맨시티 3-1 아스톤 빌라

전날 억울하게 승리를 놓친 아스날은 전 감독 에메리에게 무언가를 기대했겠지만 뜻대로 이루어지지 않았다. 맨시티는 선두에 3점 차로 바싹 따라 붙었으며 이제 드디어 주중에 리그 맞대결이 다가온다.

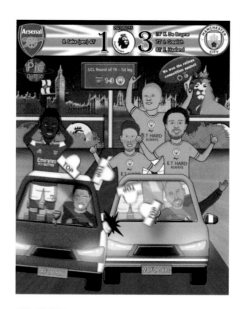

23/2/15
에미레이츠 스타디움, 런던
22/23 프리미어리그 12R (순연경기)
아스날 1-3 맨시티

맨시티가 챔피언스리그 16강 1차전 원정 경기에서 완승을 가져갔다! 둘의 체급상 전력도 그렇고 챔스 16강 경기하는 와중에 치뤄지니까 마치 이런 느낌. 이 결과로 순위 상으로는 시티가 골득실로 1위이긴 하나 아스날이 밀린 경기가 하나 더 있기 때문에 시티가 선두 탈환을 했다라고 말하고 싶진 않다. 동시에 치뤄진 챔피언스리그 경기인 클럽 브뤼헤-벤피카 그리고 도르트문트-첼시 경기가 있었는데 전자 경기 시청률은 이겼겠다 아스날이 이번에 유일하게 이긴 것.

23/2/18
시티 그라운드, 노팅엄
22/23 프리미어리그 24R
노팅엄 포레스트 1-1 맨시티

주중에 아스날과의 맞대결 이기면 뭐하겠누... 늦은 시간 Wood에게 동점골을 허용하며 중하위권 팀한테 발목 잡혀서 다시 도돌이가 되어버린걸...?

23/2/22
레드불 아레나, 라이프치히
22/23 UCL 16강 1차전
라이프치히 1-1 맨시티

전날 생일이었던 마레즈가 생일 축포를 쏘아올렸다. 하지만 지난 2022 월드컵 크로아티아 3위의 주역이자 외모와는 달리 샛별로 떠오른 인물 그바르디올의 동점골. 리드를 잡고 있지 못한 상황에서 펩 감독은 벤치에 포든이나 '월드챔피언' 알바레즈같은 자원들이 있었음에도 교체카드를 단 한 장도 쓰지 않고 아껴두며 또 여러 말 나오게 하였다. 주말에 리그 경기에서 본머스 상대하는게 더 중요했나보다.

23/2/25
바이탈리티 스타디움, 본머스
22/23 프리미어리그 25R
본머스 0-4 맨시티

이번 본머스전 완승을 위하여 주중 챔피언스리그 16
강 1차전 라이프치히 원정에서 승리하지 못하는 상황
에서도 포든과 알바레즈를 포함한 벤치 전원을 꽁꽁
아껴둔 보람이 있었다! 홈에서 열릴 라이프치히와의
2차전을 이기면 큰 그림이었다고 말할수 있고 아니면
뭐...

23/2/28
애쉬톤 게이트, 브리스톨
22/23 FA컵 16강
브리스톨 0-3 맨시티

맨시티는 64강에서 첼시, 32강에서 아스날을 물리쳤
고 이번 16강에서는 그다지 어렵지 않은 2부 리그 팀
을 만나 어렵지 않게 승리를 가져갔다. 앞서 브라이튼,
블랙번, 풀럼 등이 8강에 안착.

23/3/4
에티하드 스타디움, 맨체스터
22/23 프리미어리그 26R
맨시티 2-0 뉴캐슬

이제 경기 수를 똑같이 맞추고도 -5점 뒤지는 맨시티 입장에서는 그저 열심히 따라가야 한다. 지난 주 카라바오컵에서 준우승 은메달을 달고 돌아온 뉴캐슬을 상대로 승리는 따냈고 오늘 홀란드는 고작 1도움에 그쳤다.

23/3/11
셀허스트 파크, 런던
22/23 프리미어리그 27R
크리스탈 팰리스 0-1 맨시티

시티가 은근 고전했지만 PK로 홀란드의 리그 28호 골
로 겨우 승리를 챙겼다.

23/3/14
에티하드 스타디움, 맨체스터
22/23 UCL 16강 2차전
맨시티 7-0 라이프치히
통합 8-1

1차전 비기고 있으면서도 교체 카드를 쓰지 않은 펩 감독은 역시 다 생각이 있었다! 챔피언스리그 토너먼트 무대에서 혼자 한 경기 5골을 넣은 홀란드... 과거에는 11/12 메시(16강 vs 레버쿠젠 7-1)가 있었고 14/15 루이즈 아드리아누(조별 리그 vs 바테 7-0) 전례가 있다. 그리고 시티 팬들에게는 초치는 얘기일 수도 있지만 한 경기 7골을 넣고 결국에는 빅이어를 들어 올린 전례가 없다. (14/15 펩의 바이에른 뮌헨 7-0 샤흐타르 포함) 이 징크스를 펩이 과연 올 시즌에 깰 수 있을지 전세계가 그 결과를 주목하고 있다.

22/23 UEFA 챔피언스리그 8강 대진

레알 마드리드 - 첼시
맨시티 - 바이에른 뮌헨
밀란 - 나폴리
벤피카 - 인테르

다음 상대는 펩의 또다른 친정팀이자 임대로 내보낸
칸셀루가 있는 뮌헨이다.

23/3/18
에티하드 스타디움, 맨체스터
22/23 FA컵 8강
맨시티 6-0 번리

이견의 여지 없이 시티의 레전드라고 할 수 있는 콤파니가 챔피언쉽에서 잘 나가는 번리 감독으로써 에티하드 스타디움에 돌아왔다. 경기 전에 많은 환대를 받았고 경기 후에 환대를 받은 건 역시 홀란드였다. 주중 챔피언스리그에서 혼자 5골 넣더니 이번에는 해트트릭을... 뭐랄까 너무 말도 안돼서 이제는 감흥이 사라졌다. 그래도 팀으로 보면 번리가 라이프치히보다 한 골 덜 먹혔다. 번리 > 라이프치히.

23/3/23
스타디우 조세 알바라데, 리스본
유로 2024 예선 J조 1차전
포르투갈 4-0 리히텐슈타인

벨기에의 황금세대를 오래 이끌었던 로베르토 마르티네즈 감독이 포르투갈의 영광을 이끌었던 산투스 감독 후임으로 새 출발한다. 하지만 역시 포커스는 중동 리거가 된 호날두였다. 올해 A매치 데뷔 20주년을 맞이하는 호날두는 일단 출전만으로 전세계 최다 기록을 세웠고 대표팀 은퇴할때까지 200경기를 넘어 계속 될 듯? 조만간 챔스에서 맞붙을 임대 아웃 선수 칸셀루가 포문을 열고 베르나르두 실바가 연이어 득점.

23/3/26
스타드 드 룩셈부르크, 룩셈부르크
유로 2024 예선 J조 2차전
룩셈부르크 0-6 포르투갈

전세계 A매치 최다 득점자에다가 최다 출전자 타이틀까지 다 가지게 된 호날두는 이제 두 부문 각각 얼마나 늘려 나갈지 관심사다. 그나저나 시티 선수들 활약상 중심으로 쓰려니 또 연달아 포르투갈 경기... 상대들이 비록 약팀들이긴 해도 시티의 축구도사 베실바도 연달아 득점포를 올렸다.

23/3/27
스타디온 페예노르트, 로테르담
유로 2024 예선 B조 2차전
네덜란드 3-0 지브롤터

오렌지 군단 역대 A매치 최다득점에 다가가고 있는
데파이, 그리고 맨시티 물좀 많이 먹은 아케의 멀티
골로 조 최약체 지브롤터에 무난하게 승리하였다. 이
걸로 쿠만은 1차전 대패를 만회… 했다고 보긴 어렵
다 상대가 아무리 프랑스여도 0-4는 선 넘었기에.

23/3/28
라인 에네르기 슈타디온, 쾰른
친선 경기
독일 2-3 벨기에

앞서 열린 친선 경기에서 페루를 상대로 2-0 승리를
거둔 차기 유로 개최국 독일이다. 월드컵 2연속 실패
를 맛보면서 명예 회복을 노리는 전차군단이지만 오
늘 강팀 벨기에를 상대로 한 경기를 보니 글쎄... 오히
려 지난 월드컵에서 최악의 악몽을 경험했던 루카쿠
가 이번 2경기 4골을 넣으면서 명예 회복에 나서고
있다. 결승골의 주인공은 데 브라이너.

23/4/1
에티하드 스타디움, 맨체스터
22/23 프리미어리그 29R
맨시티 4-1 리버풀

맨시티는 홀란드 없이 이 빅매치를 치르는데 선제골
을 먹혀 오늘 경기는 어렵지 않을까 싶었는데 전혀 문
제 없이 역전승을 해내며 역시 우승을 노리는 팀다운
모습을 보여주었다. 오늘은 맨시티 윌 리버풀 일.

23/4/8
세인트 매리스 스타디움, 사우스햄튼
22/23 프리미어리그 30R
사우스햄튼 1-4 맨시티

뭐랄까 8년에 걸쳐서 프리미어리그 100호골을 달성한 손흥민도 대단한 기록이라고 생각하는데 첫 시즌에 27 경기 뛰고 30골을 달성한 홀란드를 보니까 왠지 내가 손흥민도 아닌데 현타가... 어쨌든 오늘 홀란드의 두 번째 골이자 리그 30호 골 장면은 오늘의 하이라이트.

23/4/11
에티하드 스타디움, 맨체스터
22/23 UCL 8강 1차전
맨시티 3-0 바이에른 뮌헨

올 시즌 또 다시 대권에 도전하는 맨시티는 뮌헨을 상대로도 첫 단추를 잘 꿰도 너무 잘 꿰었다. 반 면 올 겨울 이적시장 마지막날 바이언으로 임대를 떠나게 된 칸셀루는 무슨 생각을 할지...? 그나저나 투헬은 지난 주 포칼 8강에서 탈락한데 이어 챔피언스리그 8강에서마저 탈락할 위기에 놓였다. 아직 끝난건 아니지만 아무리 홀란드 보유 클럽 맨시티여도 0-3은 이미 선을 넘었다, 이럴려고 나겔스만 경질했냐, 나겔스만이었어도 이랬을까 라는 의견이 대다수.

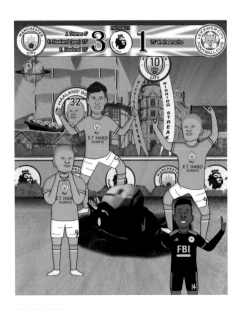

23/4/15
에티하드 스타디움, 맨체스터
22/23 프리미어리그 31R
맨시티 3-1 레스터

PK 하나를 포함하여 멀티골을 넣은 홀란드는 프리미어 리그 단일 시즌 최다골(34)에 거의 근접했는데 사실상 시간 문제로 보인다. 화두는 이걸 깨냐 못 깨냐가 문제가 아니라 40골을 넘냐 못 넘냐이다. 시티는 모든 경기 포함 10연승.

23/4/19
알리안츠 아레나, 뮌헨
22/23 UCL 8강 2차전
바이에른 뮌헨 1-1 맨시티
통합 1-4

경기의 주인공은 우파메카노인가 홀란드인가...? 바이언은 늦은 시간 PK로 겨우 하나 만회하면서 통합 영패만 안 당하도록 끝냈다. 바이언은 나겔스만 경질 직전에도 트레블 도전은 충분히 가능한 상황이었으나 투헬로 교체하면서 포칼에 이어 챔스까지 날리고 말았다. 그 트레블 도전은 이제 친정팀을 무너뜨린 펩시티 그리고 홀란드가 도전한다.

22/23 UEFA 챔피언스리그 4강

레알 마드리드 - **맨시티**
밀란 - 인테르

지난 시즌에 말도 안되게 넘지 못했던 끝판왕 레알
마드리드이다.

23/4/22
웸블리 스타디움, 런던
22/23 FA컵 4강
맨시티 3-0 셰필드 유나이티드

다음 시즌에 프리미어리그에서 다시 볼 셰필드지만 맨시티의 적수가 되진 못했고 전혀 이변은 없었다. 아무리 날씨가 뭐같은 영국이여도 지금은 4월도 말에 접어 드는 시점인만큼 장갑을 벗은 마레즈였는데 그래도 해트트릭을 하며 팀을 손쉽게 결승으로 이끌었다. '믿고 보는 장갑 낀 마레즈'였는데 예외 사례를 생성. 이로써 맨시티는 64강부터 4강까지 5경기 17득점 0실점으로 결승행.

23/4/26
에미레이츠 스타디움, 맨체스터
22/23 프리미어리그 33R
맨시티 4-1 아스날

올 시즌 프리미어리그 우승을 놓고 사실상 결승전 같
았던 경기에서 많은 이들의 예상대로 맨시티가 결국
이번에도 완승을 거뒀다. 하이라이트는 데 브라이너의
멀티골이기도 했지만 마지막 순간에 득점한 '찰랑찰랑'
홀란드가 있었다. 사실상 역전 우승 예약 수준.

23/4/30
크레이븐 코티지, 런던
22/23 프리미어리그 34R
풀럼 1-2 맨시티

홀란드가 페널티킥이든 뭐든 한 골 한 골 넣을 때마다 역사가 된다. 리그 34호 골(단일 시즌 최다 기록 타이), 토탈 50호 골 그리고 시티는 8연승.

23/5/3
에티하드 스타디움, 맨체스터
22/23 프리미어리그 28R (순연경기)
맨시티 3-0 웨스트햄

밀려 있던 경기를 승리로 채웠으니 이젠 어느 모로 봐
도 시티가 온전한 1위이다. 홀란드는 프리미어리그 입
성 첫 시즌만에 리그 35호골로 단일 시즌 최다 득점
기록 갱신.

23/5/6
에티하드 스타디움, 맨체스터
22/23 프리미어리그 35R
맨시티 2-1 리즈

귄도안의 해트트릭…!이 PK 실축으로 실패하니까 바로
상대의 만회골로 응징을 당했다. 완벽주의자 펩 입장
에서는 승리를 지켜내고도 마음에 들지 않는 승리였
을 것이다. 이제는 추격자가 된 아스날 입장에서 뉴캐
슬 원정을 앞두고 있어 부담.

23/5/9
산티아고 베르나베우, 마드리드
22/23 UCL 4강 1차전
레알 마드리드 1-1 맨시티

지난 시즌 4강의 재탕이지만 이번엔 시티 쪽에 어마어
마한 뉴페이스 홀란드가 있다. 애초 벤제마 vs 홀란드
로 관심이 쏠렸었지만 정작 경기의 주인공들은 비니시
우스와 데 브라이너였다. 둘이 거의 비슷하게 꽂아넣었
고 진정 승부는 2차전으로 간다.

23/5/14
구디슨 파크, 리버풀
22/23 프리미어리그 36R
에버튼 0-3 맨시티

만수르 시대 이후에도 에버튼 원정에서 고생을 하던 때가 꽤 있던 맨시티인데 지금은 그런 거 없다. 36라운드에서 36호 골을 넣은 홀란드, 그리고 시즌 막판의 귄도안은 그야말로 Fenomeno다. 시티는 11연승으로 올 시즌 프리미어리그 역전 우승에 점점 가까워진다.

23/5/17
에티하드 스타디움, 맨체스터
22/23 UCL 4강 2차전
맨시티 4-0 레알 마드리드
통합 5-1

경기 시작부터 끝까지 그야말로 충격과 공포의 맨시티
였다. 그것도 상대가 챔피언스리그의 제왕 레알이었기
에... 작년 시티 입장에서 악몽같았던 4강 2차전의 설욕
을 아주 배로 갚아주며 2년만에 다시 결승에 올랐고
언더독으로 평가 받지만 3회의 빅이어 경험이 있는 인
테르와 붙는다.

23/5/20
시티 그라운드, 노팅엄
22/23 프리미어리그 37R
노팅엄 포레스트 1-0 아스날

[오피셜] 맨시티 올 시즌 프리미어리그 우승 확정
[오피셜] 노팅엄 포레스트 잔류 확정

이 경기 결과 하나로 두 개의 오피셜을 띄울 수 있었
는데 비중을 두자면 당연히 우승팀 여부였다. 강등로
이드 제대로 밟고 있는 노팅엄을 아스날이 당해내지
못하고 다음 날 경기가 있는 맨시티가 타력으로 인하
여 미리 우승을 당했다.

23/5/21
에티하드 스타디움, 맨체스터
22/23 프리미어리그 37R
맨시티 1-0 첼시

어제 이미 우승 당한 맨시티는 마지막 홈경기에서 첼시 선수 들의 가드 오브 아너를 받게 되었다. 어제 아스날 덕분에 심장에 덜 푸른 부분이 있는 스털링과 램파드는 대놓고 시티를 축하해줘야 했다. 경기는 시티 1군 vs 첼시 2군이어도 결과는 역시 전자가 가져갔다.

맨시티 22/23 프리미어리그 우승

3연패, 통산 9번째 그리고 올 시즌의 경우는 무려 트레블에 도전하는 상황이기에 그 어느 때보다도 주목을 받고 있다.

23/5/24
아멕스 스타디움, 브라이튼
22/23 프리미어리그 32R (순연경기)
브라이튼 1-1 맨시티

올 시즌 멋진 모습을 보여준 브라이튼. 이미 리그 우승 확정 짓고 시상식까지 마친 맨시티라지만 그래도 쉽지 않았을텐데 승점을 따내면서 122년의 구단 역사상 최초의 유럽대항전 진출이라는 대업을 달성했다. 순서상 팀의 37번째 리그 경기에서 홀란드의 37호 골이 터지면서 결국 이 경기도 역전승으로 가져가나 싶었지만 VAR 판독 결과 오프사이드로 취소.

23/5/28
브렌트포드 커뮤니티 스타디움
22/23 프리미어리그 38R
브렌트포드 1-0 맨시티

브렌트포드 올 시즌 리그 챔피언이자 트레블에 도전하는 시티를 상대로 1승도 아니고 더블을 거둔다. 득점왕을 차지 하게 된 홀란드는 36골로 마무리 되었는데 결국 40골을 못 넘겼으니 실패한 영입(?). 다음 시즌 킷을 발표하고 새로 착용하고 나온 시티는 리그 기준 16경기, 전체 26경기 연속 무패 행진을 달리고 있었는데 여기서 다 리셋되었다. 시티 입장에서는 남은 두 경기 중에서 끊기는 것보다는 차라리 여기서 끊기는게 나을 것이다.

23/6/3
웸블리 스타디움, 런던
22/23 FA컵 결승전
맨시티 2-1 맨유

경기 시작 후 맨유가 뭔가 정비를 하기도 전에 귄도안이 13초만에 벼락 같은 선제골을 터뜨렸다. 맨유는 이후 크게 흔들리지 않고 차근차근히 PK를 얻어 올 시즌 FA컵에서의 맨시티에게 첫 실점을 안겼다. 하지만 시즌 막판만 되면 Fenomeno가 되는 귄도안이 또 한 건 해내면서 결국 더블까지 달성. 모두 KDB의 어시스트.

맨시티 22/23 FA컵 우승

4년만에 통산 9번째 FA컵 우승을 달성. 이제 트레블에 한 걸음
다가섰다. 잉글랜드 유일한 트레블 클럽 맨유 입장에서는 라이벌
팀이 그 트레블 클럽에 가입하는걸 직접 막을 수 있는 기회였지
만 실패했고 이제 인테르만이 남았다.

23/6/10
아타튀르크 올림픽 스타디움, 이스탄불
22/23 UEFA 챔피언스리그 결승
맨시티 - 인테르

결승 1회 빅이어 경험 0회의 정배 맨시티 vs 결승 5회 빅이어 경험 3회의 역배 인테르. 대망의 챔스 결승이 다가온다.

23/6/10

아타튀르크 올림픽 스타디움, 이스탄불

22/23 UEFA 챔피언스리그 결승전

맨시티 1-0 인테르

[오피셜]맨시티 역사상 최초 빅이어 획득 및 트레블 클럽에 가입

내셔널리즘이 강력한 찰하노글루의 나라, 크로아티안 토테미
즘, 달걀 동영상, 그리고 챔스 우승과 트레블 고기좀 먹어본
구단을 상대로 한 부담감 등 이 모든 것들을 뚫고 시티가 결
국 목표를 달성하였다.

22/23 UEFA 챔피언스리그 우승팀 맨시티 선발 라인업

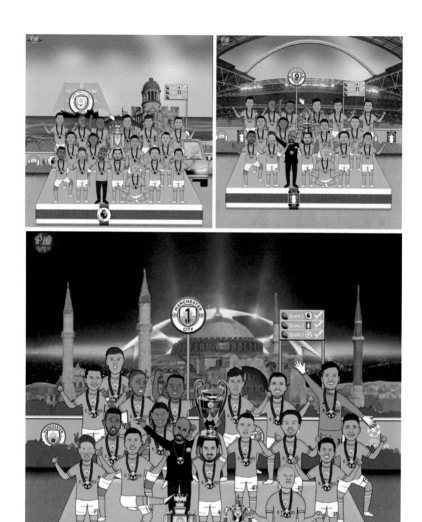

맨시티 22/23 챔피언스리그 우승 및 트레블

구단 역사상 최초이자 역대 8번째 트레블 팀이 되었다.

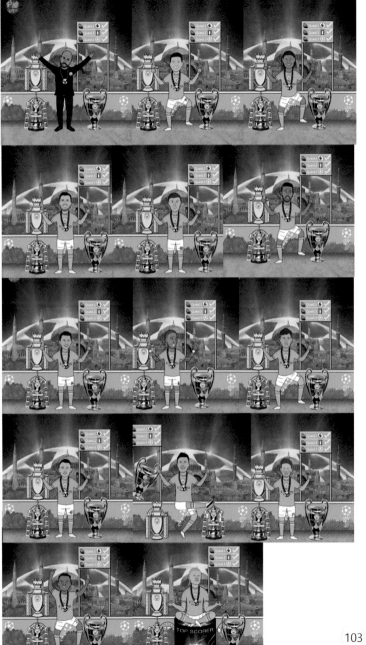

103

23/6/17
에스타디우 다 루즈, 리스본
유로 2024 예선 J조 3차전
포르투갈 3-0 보스니아

시티가 빅클럽으로 강림하는데 있어서 기반이 된 11/
12 시즌 프리미어리그 우승의 주역이자 얼마전 챔스
결승에서도 맞붙은 제코가 여전히 주장으로 있는 보스
니아. 베르나르두 실바가 이번에도 1득점을 올리며 포
르투갈의 완승으로 끝났다.

23/6/18
데 그롤쉬 베스터, 옌스헤데
22/23 UEFA 네이션스리그 3,4위전
네덜란드 2-3 이탈리아

월드컵 8강 그리고 우승팀에게 아깝게 떨어졌던 네덜란드는 쿠만이 대표팀으로 복귀한 후 벌써 몇 골을 실점했는지 답 없는 팀으로 전락해서 이탈리아가 3위를 차지한 느낌은 있다. 안 그래도 클럽, U-20 팀 안 가리고 연이은 준우승의 매운 맛을 보고 있던 이탈리아였는데 A대표팀은 그나마 기분 좋게(?) 마무리할 수 있었다. 20/21에 이어 연속 3위. 이번에 시티가 트레블하는 데에 있어서 빅클럽 도약 시발점 역할을 해준 셈이 된 만치니 감독(11/12 프리미어리그 우승)때문에 이 경기를 실었다.

23/6/18
스타디온 페예노르트, 로테르담
22/23 UEFA 네이션스리그 결승
크로아티아 0-0 (pk 4-5) 스페인

연장전을 돌입했으니 이 부문 최강자 크로아티아가
어떻게든 이길 수 있겠구나 싶었는데 빅 데이터가 빗
나가버렸다. 반대로 승부차기라면 치가 떨릴 스페인
이 반전을 일으키며 네이션스 리그 세번째 우승국에
이름을 올렸다. 그나저나 라포르트와 로드리... 또 당신
들입니까 승자가?!

스페인 네이션스리그 22/23 우승

20/21 프랑스에 이어서 스페인은 이로써 월드컵, 유로, 네이션스리그 3개의 대회를 제패한 두번째 국가가 되었다.

4일 뒤인 6월 22일 생일을 맞이한 로드리

UCL Winners 2022/23

23/8/6
웸블리 스타디움, 런던
FA 커뮤니티 쉴드 2023
아스날 1-1 맨시티
승부차기 4-1

새 시즌의 장이 열렸다. 지난 시즌 트레블의 주인공 맨시티가 이 경기까지하면 2023 한 해 4관왕을 달성할 수 있었지만 트로사르의 버저비터 동점골이 승부를 바꿔놓았다. 시티는 작년에 이어 올해도 커뮤니티 쉴드를 먹는데 실패하면서 일단 한 해 6관왕 실패.

23/8/11
터프 무어, 번리
23/24 프리미어리그 1R
번리 0-3 맨시티

맨시티의 레전드 선수 출신인 콤파니는 감독으로써
이미 지난 시즌 FA컵에서 스승이 이끄는 친정팀을 만
나 호되게 당했었다. 그리고 번리를 이끌고 승격해온
프리미어리그 데뷔전도 친정팀을 만나 또 다시 호되게
당했다. 지난 시즌 득점왕 홀란드는 지난 시즌 개막전
처럼 멀티골을 터뜨리며 자신의 역사적인 기록을 깨기
까지 이제 35골 남았다.

23/8/16
스타디오 조르지오스 카라이스카키, 아테네
2023 UEFA 슈퍼컵
맨시티 (pk 5-4) 1-1 세비야

지난 시즌 꿈을 현실로 이룬 맨시티가 이제 그 다음 단계 도약에 나선다. 이 대회 출전 경험만 따지면 훨씬 많은 세비야를 상대로 의외로 고전했다. 커뮤니티 쉴드에서 승부차기로 울었지만 여기서는 웃을 수 있었다. 사실 시티에게 중요한 것은 당연히 이 대회였다. 그나저나 펩은 자기 딸의 원피스를 입고 나온 것인가 ...?!

맨시티 2023 UEFA 슈퍼컵 우승

구단 역사상 최초의 UEFA 슈퍼컵 획득을 이루었다. 2023년 한 해로 따지면 4관왕인데 이제 그들에게 다음 미션은 클럽 월드컵이다. 한 편 이 대회 우승을 맛보지 못해 타팀 팬이 봐도 아쉬운 선수는데 브라이너... 새로 합류한 그바르디올과 코바치치는 선발 출전하면서 구단 역사의 새로운 부분을 함께 하였다.

2023 UEFA 슈퍼컵 위너 맨시티 선발 라인업

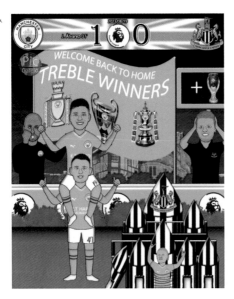

23/8/19
에티하드 스타디움, 맨체스터
23/24 프리미어리그 2R
맨시티 1-0 뉴캐슬

22/23 시즌 트레블 위너이자 주중에 UEFA 슈퍼컵까지
제패한 올 해 4관왕 맨시티가 3개월만에 홈으로 돌아
왔다. 상대가 올 시즌 같이 챔피언스리그에 출전하는
만만찮은 뉴캐슬이었음에도 불구하고 시즌 첫 홈경기
에서 신승을 거두었다.

23/8/27
브래몰 레인, 셰필드
23/24 프리미어리그 3R
셰필드 유나이티드 1-2 맨시티

아무리 PK를 놓쳐도 결국 필드골로 보답하는 홀란드다. 하지만 3라운드인데 겨우 3호골. 승격팀 셰필드를 상대로 의외로 쉽지 않은 경기를 펼쳤으며 결승골은 로드리.

23/9/2
에티하드 스타디움, 맨체스터
23/24 프리미어리그 4R
맨시티 5-1 풀럼

지난 시즌도 4라운드만에 첫 해트트릭을 신고한 홀란
드는 이번에도 4라운드만에 신고했다 그것을...
시티는 리그 4전 4승.

그리고...
작가 개인 사정으로 3개월 간
자체 축구 휴식기에 들어가다 :(

R.I.P 2023 가을.
중간 빵꾸 미안합니다...

컴백!

23/12/16
에티하드 스타디움, 맨체스터
23/24 프리미어리그 17R
맨시티 2-2 크리스탈 팰리스

가끔씩 호지슨의 팰리스에게 참교육당하는 펩 시티가
또...?! 시티는 클럽 월드컵을 치르러 가기 직전에 리그
경기 하나를 실족하며 찜찜하게 떠난... 아니 어차피 또
1위로 올라갈 수 있을거란 믿음이 있으려나 이젠?

23/12/19

킹 압둘라 스포츠 시티, 제다 (사우디)

2023 FIFA 클럽 월드컵 4강

우라와 레즈 0-3 맨시티

드디어 맨시티도 출전한다 이 대회에.

이변 따위는 없었다.

23/12/22
킹 압둘라 스포츠 시티, 제다 (사우디)
2023 FIFA 클럽 월드컵 결승
맨시티 4-0 플루미넨시

펠리페 멜루는 두가지 면에서 참 대단하다. 40살에 현
역으로 뛰는 것도 모자라 클럽 월드컵 결승에서 선발
로 뛰는 점, 그리고 40살 먹고도 인간이 한결같은 점.
경기는 뭐 시작하자마자 맨시티가 우승을 못하면 말이
안되게끔 흘러갔다.

맨시티 2023 FIFA 클럽 월드컵 우승

구단 역사상 최초의 타이틀이자 2023년 한 해 5관왕을 달성하며 마무리하는 맨시티. 그 중심인 홀란드와 팀 레전드라고 할 수 있는 데 브라이너는 아쉽게도 부상 때문에 여기에 함께 하지 못했다. 8월에 열린 UEFA 슈퍼컵 때는 홀란드는 있었는데 데 브라이너는 또 없다...

23/12/27
구디슨 파크, 머지사이드
23/24 프리미어리그 19R
에버튼 1-3 맨시티

클럽 월드컵에서 월드 챔피언 뱃지를 따오고 선보이는 맨시티의 첫 경기. 후반 되니까 진짜 맨시티의 모습이 나왔다.

23/12/30
에티하드 스타디움, 맨체스터
23/24 프리미어리그 20R
맨시티 2-0 셰필드 유나이티드

맨시티가 월드 챔피언 뱃지를 달고 홈으로 돌아왔다. 그러면서 한 해 5관왕이라는 타이틀을 달고 그들에게는 더할 나위 없이 행복했던 2023년을 마무리.

안녕 2023

안녕? 2024

24/1/7
에티하드 스타디움, 맨체스터
23/24 FA컵 64강
맨시티 5-0 허더스필드

그들에겐 더할 나위 없이 행복했던 2023년을 뒤로 하고 새해를 맞이하는데 과연 올해는 또 얼마나 이길지 ...? 이 대회에서도 역시 디펜딩 챔피언인 시티는 예상을 벗어나지 않고 산뜻한 출발을 했으며 대승보다도 더 기분 좋은 건 역시 KDB! 케빈 데 브라이너의 복귀다.

24/1/13

세인트 제임스 파크, 뉴캐슬

23/24 프리미어리그 21R

뉴캐슬 2-3 맨시티

말이 필요없는 시티의 리빙 레전드 KDB 킹덕배의 존재감은 역시 어마무시하다. 교체투입되어 1골 1도움으로 쉽지 않은 뉴캐슬 원정을 승리로 이끌었다.

24/1/26
토트넘 핫스퍼 스타디움, 런던
23/24 FA컵 32강
토트넘 0-1 맨시티

펩시티가 드디어 몇년만에 해냈다 토트넘 원정에서
승리하기 미션! 하지만 손흥민이 빠져있었기에 가능...
? 지난 5년 정도의 토트넘 원정을 되돌아보면 무득점
도 무득점이지만 악몽의 중심엔 손흥민이 있었다.

24/1/31
에티하드 스타디움, 맨체스터
23/24 프리미어리그 22R
맨시티 3-1 번리

알바레즈가 멀티골이 넣으며 이 날 생일을 맞이한데
이어 경기에서도 주인공이 되며 자축포를 터뜨렸다.
공식경기 8연승을 질주하는 시티이고 펩의 제자이자
이 팀의 레전드였다가 프리미어리그 감독으로 첫 시
즌을 보내는 중인 콤파니는 정말 혹독한 수업을 치르
고 있다.

24/2/5
브렌트포드 커뮤니티 스타디움, 브렌트포드
23/24 프리미어리그 23R
브렌트포드 1-3 맨시티

드디어 홀란드와 데 브라이너가 함께 뛰는 가운데 PL
에서 어제는 쿠냐 오늘은 포든이 해트트릭을 달성했다.
팀 대 팀으로도 시티는 지난 시즌 더블을 당했던 브렌
트포드에게 이미 원정에서 승리하며 공식 경기 9연승
을 달린다.

2023 아시안컵 & 네이션스컵 결승

1월 중순부터 2월 10, 11일까지 아시아와 아프리카 대륙 컵이 열렸었지만 맨시티는 신경 쓸 필요가 1도 없었다. 차출 선수가 0명이었기에... 선수 영입할 때 이런 것도 다 노린거라면 사대박.

2015 네이션스컵 챔피언에 올랐던 야야 투레가 이번에 그의 양아버지 만치니 감독을 따라 사우디 코치로 이번 아시안컵에 참가했었고 한국에게 패배. 그리고 조국의 네이션스컵 우승을 목격.

24/2/10
에티하드 스타디움, 맨체스터
23/24 프리미어리그 24R
맨시티 2-0 에버튼

오랜만에 보는듯한 홀란드의 멀티골.
공식 경기 10연승을 달성한 맨시티.

24/2/13
파르켄, 코펜하겐
23/24 UEFA 챔피언스리그 16강 1차전
코펜하겐 1-3 맨시티

챔스 디펜딩 챔피언인 맨시티도 지난 시즌 조별리그 때 이곳에서 승리하지 못했었는데 그리 힘을 많이 쓰진 않았을 것이다. 공식 경기 11연승을 달리며 챔스 2연패를 향한 출발.

24/2/17
에티하드 스타디움, 맨체스터
23/24 프리미어리그 25R
맨시티 1-1 첼시

스털링이 비수 제대로 꽂았다. 지난 시즌까지 맞대결에서 승리를 쉽게 내주던 첼시가 올 시즌은 그래도 두 번 모두 무승부를 거두며 맨시티를 난처하게 했다. 시티의 공식경기 12연승은 무산됐고 이제 15연속 무패 행진으로(13승 2무).

24/2/20
에티하드 스타디움, 맨체스터
23/24 프리미어리그 18R (순연경기)
맨시티 1-0 브렌트포드

[오피셜]홀란드 입단 후 PL 전 구단 상대로 득점

지난 시즌 입단한 그는 다른 빅6 클럽들은 물론이고 지금은 강등된 레스터, 사우스햄튼, 리즈 그리고 올 시즌 승격팀 루턴 타운, 셰필드, 번리 상대로도 모두 득점을 뽑아냈고 마지막 퍼즐이 브렌트포드였는데 미션 컴플리트. 1.8시즌만에 정말 말도 안되는 기록.

24/2/24
바이탈리티 스타디움, 본머스
23/24 프리미어리그 26R
본머스 0-1 맨시티

포든의 결승골로 의외로 한 골 차 승리를 가져간 시티.
어쨌든 공식경기 17연속 무패를 달리며 열심히 리버
풀을 따라가는 중.

24/2/27
케닐워스 로드, 루턴
23/24 FA컵 16강
루턴 타운 2-6 맨시티

작년 3월 챔스 16강 2차전 라이프치히전에서 혼자 5
골을 터뜨렸던 홀란드는 1년도 안되는 기간 내에 그것
을 또 해냈다. PK도 없이말이다. 데 브라이너의 4도움
에도 힘입어 시티는 가볍게 8강에 진출했고 공식경기
18연속 무패.

24/3/3

에티하드 스타디움, 맨체스터

23/24 프리미어리그 27R

맨시티 3-1 맨유

웬일로 맨유가 선제골을 넣었나했지만 후반에 역시는
역시... 이곳에서의 지난 맨더비에서 동반 해트트릭을
시전하며 미쳐 날뛰던 포든과 홀란드였는데 이번에도
둘이서 해결을 했다. 맨유 입장에서는 그래도 3-6 스
코어 보다는... 이번에도 맨더비 완승을 거두며 공식경
기 19연속 무패를 이어가는 시티.

24/3/6
에티하드 스타디움, 맨체스터
23/24 UEFA 챔피언스리그 16강 2차전
맨시티 3-1 코펜하겐
통합 6-2

맨시티 챔피언스리그 본선 10연승+클럽에 가입. 13/ 14~14/15 레알이 10연승, 19/20~20/21 바이언이 15 연승 그리고 22/23~23/24 맨시티가 10연승 진행 중 이다. 만약 이런 기록을 세우는 동안 빅이어라는 결과 물을 못 얻으면 좀 우스울수도 있는데 공통적으로 그 건 다 가지고 있다. 그리고 시티는 최근 공식 경기 20 연속 무패.

24/3/10
안필드, 리버풀
23/24 프리미어리그 28R
리버풀 1-1 맨시티

우승권을 다투는 펩클라시코였는데 사이 좋게 비겼다.
공식 경기 21연속 무패의 맨시티이지만 리버풀을 넘
는데 실패. 여기서 승자는 어제 이기면서 선두를 지키
게 된 아스날.

23/24 UEFA 챔피언스리그 8강 대진

아틀레티코 마드리드 - 도르트문트
파리 생제르망 - 바르셀로나
아스날 - 바이에른 뮌헨
레알 마드리드 - **맨체스터 시티**

그들을 또 만났다! 지난 시즌에는 그들을 넘었기에 트레블을 할 수 있었고 지난 두 시즌은 승자가 결국 우승을 차지.

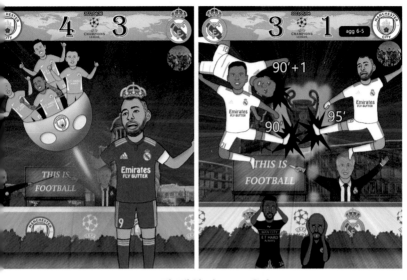

21/22 4강 레알 승 --> 우승

22/23 4강 맨시티 승 --> 우승

24/3/16
에티하드 스타디움, 맨체스터
23/24 FA컵 8강
맨시티 2-0 뉴캐슬

올 시즌 뉴캐슬 상대로 이미 리그에서 더블, 그리고 F
A컵에서까지 트리플이다. 이번엔 베실바의 멀티골로
공식경기 22연속 무패를 달성하며 4강에 안착.

24/3/21
에스타디우 돔 아폰소 헨리퀘스, 기마랑스
친선 경기
포르투갈 5-2 스웨덴

이 맘때 발표하는 새 킷들은 올 여름에 열릴 유로나 코파 아메리카에 입고 출격할 거라 보면 된다. 예전 같으면 호날두 vs 즐라탄이었을 이 맞대결. 호날두 는 아직 있지만 없다(휴가). 근데 없이도 이 정도 결 과가... 마테우스 누네스도 한 골 보탰다.

24/3/26
산티아고 베르나베우, 마드리드
친선 경기
스페인 3-3 브라질

이번 3월 A매치 기간 중에 소문난대로 가장 먹을 거리
가 많았던 친선 경기 아닌가 싶다. 이 경기장의 주인
레알 마드리드는 양쪽에 여러 자신들의 선수가 있지만
엔드릭을 가장 눈여겨보지 않았을까... 올 해 이미 계약
을 확정지은 유망주가 A매치에서 저렇게 연달아 터뜨
리는거 보면 레알은 자신들의 국적이고 뭐고 즐거운
쪽에 가깝지 않을까 싶다. 이 난타전 속에서 스페인 캡
틴을 달고 있었던 로드리는 PK로 멀티골을 넣었다.

24/3/31

에티하드 스타디움, 맨체스터

23/24 프리미어리그 30R

맨시티 0-0 아스날

먹을 건 없었다. 거너스는 시티 원정에서 무실점으로
버텨내며 승리는 리버풀이 가져갔다.

24/4/3
에티하드 스타디움, 맨체스터
23/24 프리미어리그 31R
맨시티 4-1 아스톤 빌라

토트넘이 못 이긴 덕에 여전히 챔스권을 쥐고 있는 빌라지만 에메리 감독이 친정팀 아스날에게 도움을 주지는 못했다. 해트트릭으로 미쳐날뛰는 포든을 막을 수는 없었다. 공식 경기 24연속 무패 행진을 이어가는 시티.

24/4/6
셀허스트 파크, 런던
23/24 프리미어리그 32R
크리스탈 팰리스 2-4 맨시티

리빙 레전드 KDB 시티에서 100호골 달성. 홀란드도
한 골 보태며 시티는 공식 경기 25연속 무패를 달리
면서 여전히 우승 레이스를 달린다.

24/4/9
산티아고 베르나베우, 마드리드
23/24 UEFA 챔피언스리그 8강 1차전
레알 마드리드 3-3 맨시티

지난 시즌 시티가 4강 1차전 이 곳에서 1-1 무승부를 거둔 이후부터 해서 챔스 본선 10연승을 달리고 있었는데 그 기록이 끝난 것도 베르나베우였다. 어쨌든 중요한 건 단판 승부 결과가 아니라 상대를 통합 스코어로 누르고 다음 단계로 올라가면 되는거니까. 아주 먹을게 많은 소문난 잔치.

24/4/13
에티하드 스타디움, 맨체스터
23/24 프리미어리그 33R
맨시티 5-1 루턴 타운

우승 경쟁 3파전 레이스에서 이번 라운드 시간 상으로
가장 출발한 시티. 강등 위기에 처한 루턴 타운 상대로
역시 미끄러질리 없다.

24/4/17
에티하드 스타디움, 맨체스터
23/24 UEFA 챔피언스리그 8강 2차전
맨시티 1-1 레알 마드리드
통합 4-4, 승부차기 3-4

[오피셜]맨시티 연속 트레블 실패

어제는 라리가, 오늘은 프리미어리그 팀들이 동반 나가리되었다. 특히나 시티는 이번엔 레알에게 지난 시즌의 복수를 당했는데 21/22 시즌부터 이 두 팀이 토너먼트에서 만났을 때 승자가 각각 우승을 차지했다. 그럼 이번엔 또 레알 차례인가...?!

24/4/20
웸블리 스타디움, 런던
23/24 FA컵 4강
맨시티 1-0 첼시

주중 챔스에서 탈락하면서 연속 트레블의 꿈이 사라진
맨시티. 연장까지 가서 패배한 체력적, 정신적 여파까지
더해졌는지 쉽지 않은 경기였으나 그래도 결국 승자는
시티. FA컵에서 지난 시즌 첼시에게 4-0으로 승리한 것
을 시작으로 오늘까지 11연승을 거두며 결승으로 가서
2연패에 도전한다.

24/4/25
아멕스 스타디움, 브라이튼
23/24 프리미어리그 29R (순연경기)
브라이튼 0-4 맨체스터 시티

(GPT) 맨시티 선수들이 승리의 차를 타고 레이스를 주도하는 모습이 그려져 있으며, 이는 팀이 공식경기 30연속 무패 기록을 유지하며 강력한 우승 후보임을 상징적으로 보여준다. 또한, 상대팀 브라이튼은 갈매기들이 도저히 적수가 될 수 없는 상황을 통해 경기에서의 절대적인 우위와 맨시티의 우승 가능성을 시사하고 있다. 그리고 시작 전부터 리버풀은 이미 나가리 각이었고 결국 아스날과의 양강 대결로 압축될 것으로 보인다.

24/4/28
시티 그라운드, 노팅엄
23/24 프리미어리그 35R
노팅엄 포레스트 0-2 맨시티

혹시나했지만 역시나... 그바르디올과 홀란드 그리고
덕배의 2도움으로 미끄러지지 않는 시티. 아스날에 1
점 뒤져있긴 하나 중요한 건 시티가 한 경기 더 남아
있다.

24/5/4

에티하드 스타디움, 맨체스터

23/24 프리미어리그 36R

맨시티 5-1 울버햄튼

희발 씨찬이 형이 또 시티를 상대로 득점을 했지만 울
브스만 만나면 미쳐 날뛰는 홀란드. 지난 시즌에도 울
브스를 상대로 해트트릭을 했었는데 이번엔 포트트릭
을 기록했다. 1점 차로 아스날을 따라가고 있는 듯한
형태지만 시티에게는 한 경기가 더 남아있다. 바로 또
다른, 위험한 코리안 가이를 보유한 토트넘.

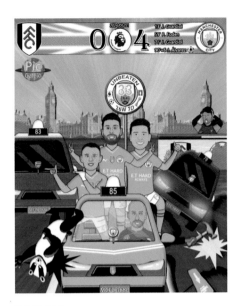

24/5/11

크레이븐 코티지, 런던

23/24 프리미어리그 37R

풀럼 0-4 맨시티

[오피셜] 리우실확

무패행진 기록을 33으로 늘려가며 절대 미끄러질 기미를 보이지 않는 시티. 이 결과로 인하여 일단 산술적인 리버풀의 우승 실패가 확정되었다. 이제 아스날과 2파전으로.

24/5/14
토트넘 핫스퍼 스타디움, 런던
23/24 프리미어리그 34R (순연경기)
토트넘 0-2 맨시티

[오피셜]토챔실확/아챔확

올 시즌 PL의 사실상 간접적인 결승전이었는데 이 와중에 100% 결정난 것은 토트넘의 챔스 진출 실패 및 아스톤 빌라의 챔스 진출 확정. 간절하게 토트넘의 편에 서야만했던 아스날은 꿈이 산산조각나고 말았다. 지길 바랬던건 다수의 토트넘 홈팬들이고 포스테코글루 감독은 본인들 챔스도 걸려있으니 최선을 다해서 이기려고했으나 최선을 다한다고 다 되는건 아니니... 최선을 다해서 상성 상 극악의 토트넘 원정을 깨려고 했던 시티가 더 빛을 발했다. 이제 모든 팀에게 똑같이 한 경기씩 남 아있는 상황으로 맞춰졌다.

대망의 최종전

24/5/19
23/24 프리미어리그 38R
맨시티 3-1 웨스트햄
아스날 2-1 에버튼

[오피셜]맨시티 프리미어리그 4연패
시작전부터 이미 시티 쪽으로 많이 기울어져있는 경쟁이었는
데 실제로 시작하자마자 시티의 포든이 득점을 하고 아스날은
선제골을 실점했기에 더욱 뻔해보이는 양상이었다. 시티가 쿠
두스에게 원더골로 실점하면서 어 혹시...? 하는 순간도 잠깐
있기는 했지만 말이다. 아스날도 기어코 역전을 해내긴 했지
만 역시나 이번에도 프리미어리그 우승은 시티에게 돌아갔고
4연패라는 위업을 달성하게 된다. 지난 시즌도, 그리고 지난
시즌보다 거 길게 경쟁 구도를 이어나가며 맨시티를 위협했
던 아스날에게도 박수.

맨시티 23/24 프리미어리그 우승

한 팀의 프리미어리그 4연패는 리그 역사상 최초의 기록이다.
통산 10번째 우승을 달성했는데 그 중에 펩이 6회의 지분을 가
지고 있으며 21세기 들어 8회.

27골로 또 다시 득점왕을
차지한 홀란드

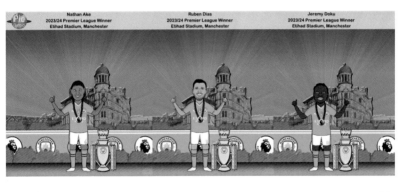

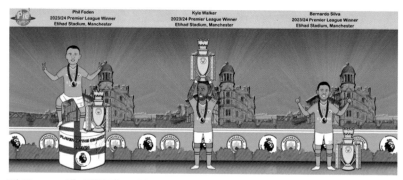

리그 MVP에 선정된 포든

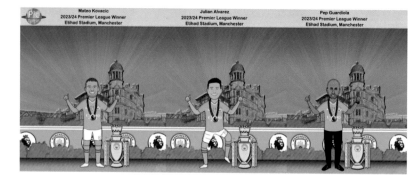

24/5/25
웸블리 스타디움, 런던
23/24 FA컵 결승
맨시티 1-2 맨유

레버쿠젠이 워낙 질기게 어마어마했어서 그렇지 맨시티의 공식경기 35연속 무패도 만만찮은 기록이었는데 그게 바로 여기서 지역 라이벌 팀에게 깨지고 말았다. 지난 시즌 결승처럼 연속된 맨체스터 더비 매치업인데 이번에는 제대로 복수를 당하면서 시즌을 마무리해야 했다.

지금까지 맨시티의 2022/24였습니다.

블로그

대단히 감사합니다!

인스타

PicCalcio 맨체스터 시티 2022/24 시즌 하이라이트 일러스트 카툰북

발 행 | 2024년 8월 8일
저 자 | 장원석
펴낸이 | 한건희
펴낸곳 | 주식회사 부크크
출판사등록 | 2014.07.15.(제2014-16호)
주 소 | 서울특별시 금천구 가산디지털1로 119 SK트윈타워 A동 305호
전 화 | 1670-8316
이메일 | info@bookk.co.kr

ISBN | 979-11-419-0023-6

www.bookk.co.kr
ⓒ 장원석 2024
본 책은 저작자의 지적 재산으로서 무단 전재와 복제를 금합니다.